Dépôt légal: novembre 2020 - ISBN:978-2-491561-01-7
Imprimé en décembre 2020 en France par la SEPEC - 24413201121
Copyright SEVTHEQUEEN / The Word Company, Paris 2020
www.sevthequeen.com

Confinés à Versailles

Chroniques improbables d'un royal explorateur

Textes et dessins

Remerciements

À tous ceux qui m'ont supportée pendant ces longues périodes de confinement, Éric, Eliott, Émilie, Pénélope et Titouan, à mes crayons et mon jardin qui m'ont permis aussi de survivre, au soleil qui était souvent de la partie, aux soignants qui ont tant donné, au château endormi, sans oublier toutes celles et ceux qui, même de loin, se sont penchés sur le Petit Louis, un immense merci !

Séverine Colmet Daâge (SEV)

Confinés à Versailles

...mais aussi à Pékin, Londres, Berlin, Rome, New York,
Singapour, San Francisco, Madrid...
Cette année 2020, avalée par la pandémie de Covid-19
entrera sans doute dans l'Histoire comme une parenthèse inédite
du XXIème siècle qui aura paralysé des millions d'individus
pendant des semaines, mais aura aussi sûrement fait germer
des projets et des idées.
En voici un : ce feuilleton est une tentative d'évasion,
que quelques intrépides ont suivi chaque semaine pendant
ces longues semaines de confinement par la fenêtre d'internet
du 16 mars au 6 juin 2020,
puis du 30 octobre au 1 décembre 2020,
l'occasion aussi d'ouvrir des portes sur les trésors
du Domaine de Versailles, qui en a vu bien d'autres !
Suivez le guide, et les liens à la fin de l'album.
Bonne balade !

16 MARS 2020

Château de Versailles, France.

"La lutte contre le coronavirus exige
une mobilisation nationale.
À partir de mardi 17 mars midi,
et pour quinze jours au moins,
les français devront rester chez eux,
sous peine de sanctions,
sauf déplacements absolument nécessaires."

a annoncé le chef de l'État.
À 15 jours des congés de Pâques, ça sonnait
presque comme des vacances...

21 MARS

La routine s'installe tranquillement.
C'est le printemps dehors, mais à l'intérieur
on l'a un peu oublié...

Puis-je rappeler à votre majesté que votre cours de télé-équitation commence dans 15 mn ...

28 MARS

La routine s'installe : écoles fermées, bureau à la maison, intérêt soudain retrouvé pour le "home made" dans tous les domaines, pour le chien à promener... qu'est-ce qu'on n'inventerait pas pour aller respirer le soleil dehors !
Heureusement vient le temps du «réappro»...

29 MARS

Au plus haut sommet du royaume, on sent qu'il y a comme un flottement dans les rouages. Mais on s'apprête tout de même à affronter un casse-tête récurrent fort complexe : le passage à l'heure d'été.

De toutes les horloges et pendules du château
il y en a une qu'il est impossible d'ignorer :
la pendule astronomique de Passemant,
la première à donner l'heure officielle.

7 AVRIL

Pas la moindre embellie en vue, on attend
«le pic de la vague» pour Pâques.
Les héros sont au front, et les autres au balcon.

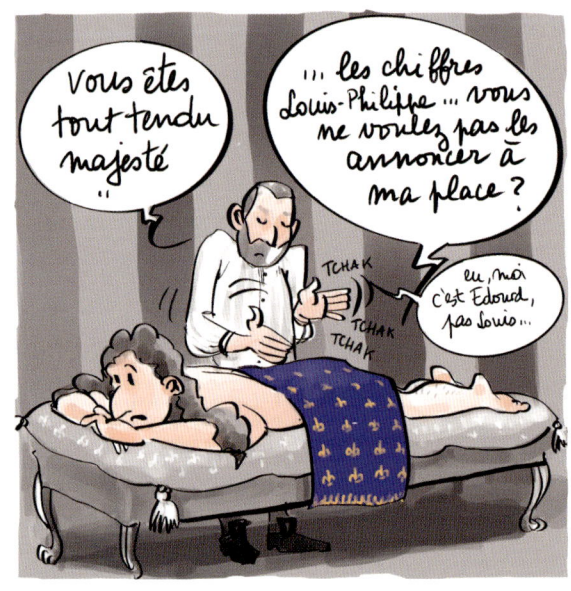

19

14 AVRIL

Toute la communauté scientifique se penche sur le remède miracle. Débats enflammés, avis contradictoires, masques et chloroquine sous les feux de la rampe alimentent les déclarations des experts de tout poil... Au château, on s'applique aussi à trouver des solutions.

Le Petit Théâtre de la Reine est un endroit absolument délicieux, tout en stuc et tape-à-l'œil, dont la visite mérite le détour...

20 AVRIL

Ça commence à traîner un peu cette histoire...
sur terre comme sur mer : ports et aéroports
sont désertés. En rade de Toulon,
un millier de marins sont en quarantaine.

1er MAI , Fête du Télétravail

On ne s'étonne plus de rien, quoique…

8 MAI

Après des semaines passées entre soi
dans un relatif laisser-aller, l'approche
imminente du déconfinement fait brusquement
replonger chacun dans son dressing
...avec plus ou moins de bonheur.

C'est officiel, le déconfinement est là. Joie pour beaucoup de réexpédier leurs chérubins survoltés à l'école. Espoirs fous pour d'autres de s'inventer une nouvelle vie... ou tout simplement de survivre.

Comme un léger parfum de Révolution !

25 MAI
Toute la France se déconfine... toute ? Non !
Une irréductible zone rouge résiste encore !

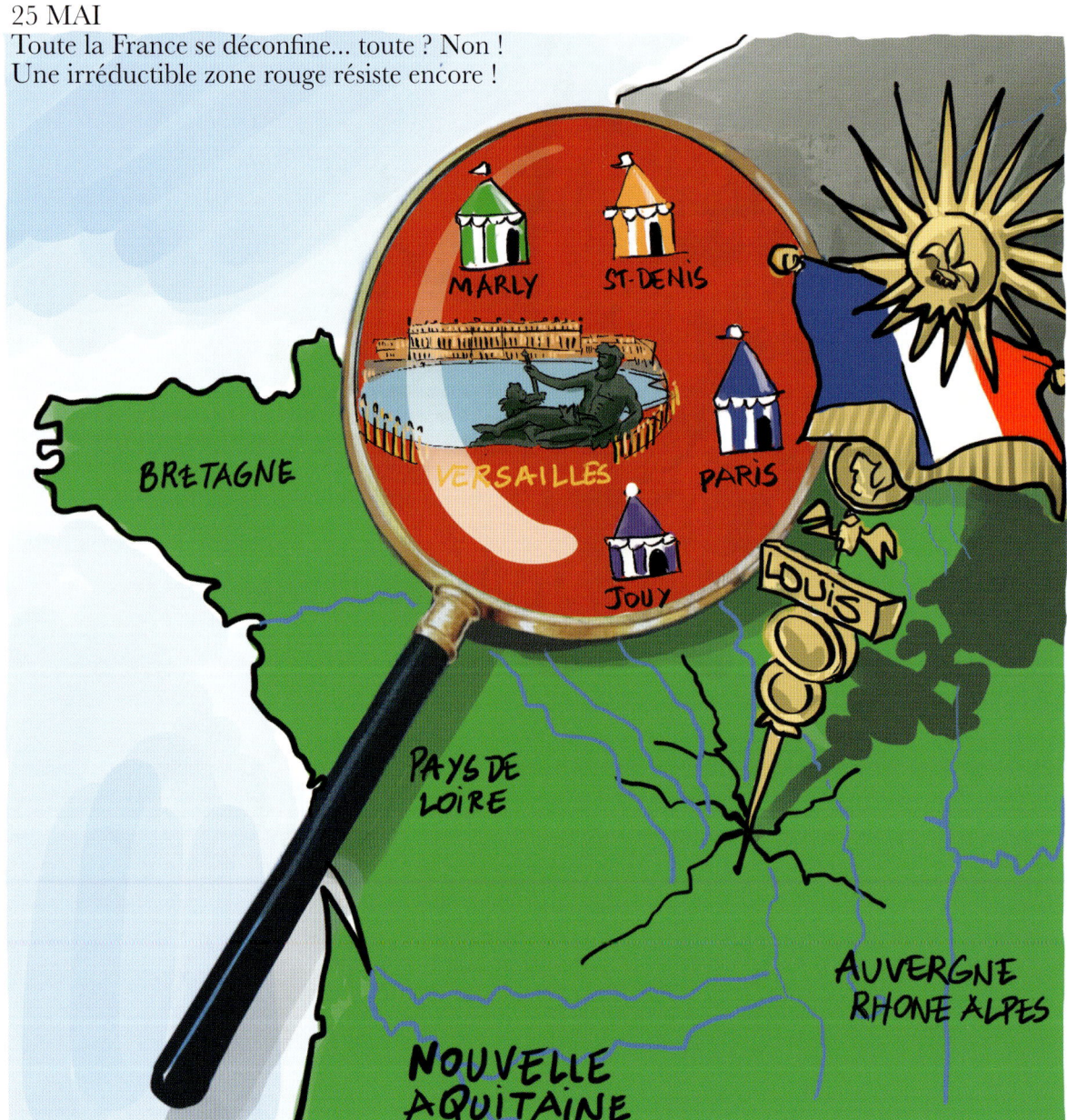

Un peu partout la vie reprend, avec quelques aménagements : nouvelles règles de distanciation...

Nouvelles règles dans les transports...

Nouvelles initiatives, nouvelle mobilité...

Mais il est vrai que vivre dans un immense espace vert au milieu d'une zone rouge soulève des questions
...qui, à Versailles, trouvent toujours des réponses !

5 JUIN

Le jour tant attendu est enfin arrivé :
demain les visiteurs pourront réinvestir
jardins et appartements royaux.
Mais, ironie du sort, après presque trois mois
de soleil insolent au dessus de Versailles,
ce dernier a décidé de s'éclipser, juste
pour le week end !

Et quelques heures plus tard...

Et ce qui devait arriver arriva.
les cigales ayant chanté tout l'été, bu l'apéro
entre amis, ivres d'amitié et de contacts
fraternels, se trouvèrent RE-CONFINÉES.
En cette veille de Toussaint,
jour d'Halloween
les nouvelles règles du jeu semblent
quelque peu...déstabilisantes.

Heureusement, à Versailles, le sens de la fête est inscrit au patrimoine génétique !

6 NOVEMBRE

Ouvert ou fermé au public ? C'est toute la question, qui remet la philosophie au centre des débats et de la survie des petits commerces. Et on en perd son latin : on bâillonne des rayons entiers pour ne point déplaire au libraire ou au marchand de chaussettes... et de la culture, on encourage de préférence celle de la patate (bio).

10 NOVEMBRE

Et pendant ce temps, le monde continue de tourner... et d'expérimenter les joies de la démocratie.

Bah ... vous comprendrez bientôt mon Prince

45

18 NOVEMBRE

Les jours raccourcissent
et le temps fraîchit.
Dans le parc, les statues ont mis
leur tenue d'hiver, mais dans
la ville avec tous les commerces
fermés, trouver un vêtement
chaud est une autre paire
de manches.

27 NOVEMBRE

Un vent de liberté (conditionnelle) souffle
sur la France . Il était temps. Les réouvertures
s'échelonnent avec de subtiles priorités...

25 DECEMBRE

Et si cette folle année pouvait vraiment
se terminer comme un conte ?

Fin du confinement ?
Allez, ça fait du bien de croire au Père Noël...

C'EST CADEAU

Les trésors de Versailles
à suivre au dos...

Les trésors de Versailles se trouvent aujourd'hui aussi sur internet.
Voici quelques bijoux selectionnés pour vous, pour prolonger la visite.
Les Louis d'or numérotés vous renvoient aux épisodes concernés.
Les vidéos sont de durée variable et pour tout public, prenez votre temps !
Vous pouvez les retrouver sur youtube avec leur titre ou en suivant les liens
directement sur le blog du petit Louis. (Flashez le code...)

 Il était une fois la galerie des Glaces
(Des racines et des ailes) 30'43"

 Le hameau de la Reine Marie-Antoinette
(Des racines et des ailes) 3'29"

 La pendule astronomique
(Château de Versailles) 3'06"

 Le théatre de la Reine
(Secrets d'Histoire) 8'

 Au cœur de la biodiversité des jardins
de Versailles (Château de Versailles) 4'40"

 Marie-Antoinette et la mode
(Secrets d'Histoire) 4'03"

 Franck Ferrand raconte : Rose Bertin
(podcast Radio Classique du 3/4/2020)

 Versailles : Le propre et le sale
(Toute l'Histoire) 52'06"

 Versailles, la Magie de l'eau
(Château de Versailles) 3'54"

 Fêtes à Versailles
(Au cœur de l'Histoire) 1: 05'49"

 Se chauffer à Versailles : mission
impossible ? (Château de Versailles) 2'16"

 Noël à Versailles
(Château de Versailles) 1'50"

 Versailles en chiffres
(Château de Versailles) 6'16"

 Les fantômes de Trianon
(Au cœur de l'Histoire) 46'41"